RIEN D’AUTRE QUE CETTE FÉ[illegible]

Nancy Huston

Rien d'autre que cette félicité

monologue

LEMÉAC

Ouvrage édité sous la direction
de Pierre Filion

Crédit

Pages 9 et 58 : Rainer Maria Rilke, « Chant des femmes au poète », traduction de Pierre Mathé. Copyright © Pierre Mathé, 2012.

Leméac Éditeur remercie le Conseil des arts du Canada, la Société de développement des entreprises culturelles du Québec (SODEC) et le Programme de crédit d'impôt pour l'édition de livres du Québec (Gestion SODEC) du soutien accordé à son programme de publication.

Canadä

ISBN 978-2-7609-4824-2

4609, rue D'Iberville, 1er étage, Montréal (Québec) H2H 2L9
Dépôt légal – Bibliothèque et Archives nationales du Québec, 2019

Mise en pages : Compomagny

Imprimé au Canada

À Annie Ernaux

Personnage

Ariane, intello/écrivaine, la quarantaine.
Elle a « du chien ».

Lieu

Son bureau, où s'entassent livres, cahiers, lettres et paperasses…

Scènes

1. ARIANE PRÉPARE L'APRÈS
2. ACCOUCHEMENT
3. GROSSESSE
4. CALCULS
5. MOBILES FLOUS
6. GIFLES
7. BISTROT
8. LA PLAINTE D'ASTÉRIOS
9. ARIANE CHANGE D'AVIS

1

ARIANE PRÉPARE L'APRÈS

Assise à son bureau parmi ses paperasses, Ariane prend un stylo… hésite… commence à écrire.

Ma grande. Ma petite. Ma chérie. Lyly. Il faudrait en quelque sorte que je te dise tout, tout de suite. Pas facile. *(Recopiant les mots d'un livre ouvert à côté d'elle.)* « Vois comme tout s'ouvre : ainsi sommes-nous ; / car nous ne sommes rien d'autre que cette félicité. / Ce qui dans un animal était sang et obscurité, / a grandi en nous pour devenir âme et continue de crier / comme une âme. Et elle crie vers toi. » C'est Rilke. Le début de son « Chant des femmes au poète ». La lutte de ma vie aura été pour réunir ce qui avait été séparé : l'âme et le corps. Quand le corps craque et cède, il dit vrai, mon ange. Le cerveau est un organe. Le ventre parle, pense, chante, réfléchit, décide. Soigne ton âme, laisse-la crier, apprends-lui à voler… *(Elle pose son stylo.)* Non, c'est nul. Faut pas mettre ça. C'est lourd. *(Elle écarte cette page, en prend une autre.)*

Le problème avec une mère qui claque quand t'as treize ans c'est qu'elle devient parfaite. Tu ne peux pas te rebiffer, renâcler, refuser de lui obéir, l'insulter, la traiter de vieille vache qui pige que dalle aux problèmes des djeunes... alors que cette révolte est si précieuse... Bref, comme je ne serai pas là pour t'embêter en chair et en os, je voudrais te laisser un portrait de... pas moi-ta-mère, mais... moi-une-femme. Hyperimparfaite comme toutes les femmes. Les hommes, n'en parlons pas (c'est une blague). En fait les hommes sont parfaits (c'est une blague). *(Elle lève la tête.)* Et... euh... voilà... *(continuant d'écrire)* il va falloir que ce portrait remplace toutes les disputes, réconciliations, conciliabules, coups de fil, coups de gueule, gueules de bois, bois de fer, fers à repasser – tu te rappelles comme on s'amusait avec les *paillasson-somnambule* quand t'étais petite ? –; bref, les milliers de conversations qu'on n'aura pas autour d'une tasse de café, d'un verre de whisky ou de champagne ou de bière ou de vin, près du berceau où dormira ton enfant à toi, ou près de la table dressée pour la fête de tes 20, 30, 50, 65 ans... Lyly ! Ça me fait chier de ne pas être là pour te consoler de tes deuils et tes divorces ! Ce qui me fait chier encore plus, c'est de ne pas connaître la suite de ta vie, ne pas me régaler des histoires que tu me racontes, ne pas répondre au téléphone et entendre ton rire... Ça, s'il y a *une chose* dans ce bas-monde qui va me manquer, *une chose* que j'aurais aimé emporter avec moi dans l'au-delà – ah ! ah ! – c'est ton rire. Mais bon. En même temps, ce que je vais te raconter là, ça ne va pas être *que* rigolo…

Elle pose le stylo, déchire la page.

Deuxième piste nulle.

Elle prend une autre page, écrit.

Écoute, amour… Ça ne serait pas te rendre service que de te peindre ma vie en rose. D'ailleurs, tu le sais, j'ai toujours détesté le rose. Mauve et guimauve, mièvre et gentillet, tout ça me fait gerber. Sourires niais, bien-pensance, courtoisie creuse. Même tout bébé, je ne t'ai pas habillée en rose, Elyria. « Ma vie en violine » serait plus près de la vérité… Violine, j'aime bien. *(Elle lève la tête.)* OK, bref, je commence. *(Elle écrit.)* Pardon si je dis tout en vrac… C'est un stage intensif, en quelque sorte. Formation accélérée en Vie-de-femme. Comme si, toi qui veux être chirurgienne, il te fallait passer tes examens médicaux en un an au lieu de huit.

Temps. Pour elle-même :

On dit que si les femmes se rappelaient les douleurs de l'accouchement, elles n'auraient jamais de deuxième enfant. Remède à la surpopulation de la planète : la mémoire des mères ! Moi, pour ne pas oublier mes douleurs, je les ai écrites. Et en effet, tu es restée fille unique.

2

ACCOUCHEMENT

Ariane prend un cahier ancien, l'ouvre, lit pour elle-même, lève la tête…

Sais-tu que jusqu'à ta naissance, mon seul autre séjour à l'hôpital était à l'occasion de la mienne, vingt-sept ans plus tôt ?

Elle lit quelques pages du carnet.

« On est dans le noir. Véro la sage-femme prévoit ton arrivée pour le petit matin, et il n'est que 22 h 30. Xavier me tient la main. Il veut savoir à quoi ressemblent les contractions. Comment lui décrire les sensations d'un organe qu'il ne possède pas ? "Ça ressemble un peu aux crampes des règles", je lui dis, mais bien sûr il ne connaît pas ça non plus. Véro glisse dans mon for intérieur un tube muni d'une caméra pour voir si tout va bien… L'amnioscopie rompt la poche des eaux, ça coule sous moi, c'est chaud et drôle, j'ai l'impression de faire pipi sans arrêt. Véro me dit que les eaux sont claires, signe que tu vas bien. Elle dit que par contre ça risque d'accélérer le travail : ta tête va descendre se mettre à la place de la poche, et du coup la douleur sera plus intense.

«Je suis assise en tailleur sur le lit et Xavier me masse le bas du dos. Complètement superflus, les exercices de respiration: dès que la contraction commence, il est évident que je dois inspirer et expirer lentement et profondément. Je suis attentive à la température de l'air sur mes narines: frais à l'entrée, plus chaud à la sortie. J'essaie de me concentrer sur les images intérieures... mon corps comme une falaise, les contractions comme de hautes vagues venant se jeter contre elle... Du temps passe... je flotte sur le temps... Commencent alors d'atroces douleurs dans les reins, et toute comparaison avec les crampes des règles s'évapore. Impossible d'expirer profondément avec ces tenailles dans les tripes. Je cesse de discuter avec Xavier dans la pause entre deux contractions. À un moment donné, Véro lui demande de quitter la salle pour qu'elle puisse prodiguer des soins à une autre femme. Les quelques minutes que dure son absence, les contractions me semblent bien plus menaçantes. Elles m'arrachent des gémissements à chaque souffle alors que je m'étais promis de ne pas faire de bruit... Peu à peu, les images s'évanouissent. Pas évident, alors que hurlent les reins, de pousser le ciel avec la tête ou de se camper en Bouddha imperturbable. À présent, sous l'assaut des vagues, la falaise s'effrite, ploie et s'écroule.

« À minuit et demi, Véro m'annonce que le col s'est dilaté de 2 centimètres. J'en suis donc à 4. Elle dit que c'est bien, que tout se passe bien. Je fais le calcul : 4 heures, 4 centimètres ; 10 centimètres, 10 heures. Encore six heures comme ça, c'est inconcevable. Je sais pourtant que des millions de femmes les ont vécues, ces six heures là, et bien plus encore. Je demande la péridurale. Mais il faut faire d'abord un bilan sanguin pour voir le taux de coagulation, ce qui prendra une heure. Une infirmière aux cheveux gris me susurre : "Vous auriez dû nous le dire en arrivant, que vous vouliez une péridurale !" Entre deux contractions, on me prélève trois tubes de sang. Du sang coule sur le drap. J'ai le vertige. L'anesthésiste me propose un sédatif. Cela m'aide, me plonge dans un état proche du sommeil entre les crises, de sorte que je cesse de redouter celles-ci et de préparer une défense contre l'insupportable. Je perds la notion du temps.

« Il est 2 heures 30 quand on me ramène dans la salle d'accouchement pour la péridurale. Véro m'examine : j'en suis à 9 ! Trop tard pour l'anesthésie : l'enfant va arriver tout de suite. Encore quelques contractions – elle me palpe pendant la douleur pour savoir où est ta tête – et, à partir de là, je crie. Cris d'amour, cris de bête, ahanements, exclamations, de plus en plus fort. Je crie parce que, Elyria, dans mon rapport au corps, j'ai toujours prisé la fermeture, le resserrement, la retenue, et que là je dois renverser cette image et souhaiter la béance.

« On me demande si j'ai envie de pousser. Je n'en sais rien, je sais juste qu'il n'y a plus de répit entre les contractions. Elles ne font plus qu'une, interminable. Ce n'est plus la douleur qui est en moi, c'est moi toute qui suis en elle. De ma vie je n'ai imaginé pareille souffrance.

« La dilatation est complète, la transition a pris fin, nous voilà arrivées à l'expulsion. Tout le monde m'en a parlé comme de la phase la plus facile : au lieu de subir passivement les douleurs, on peut enfin pousser pendant chaque contraction. On m'explique que le vagin contient trois étages par lesquels ta tête devra passer. Pour l'instant, tu n'en es qu'au premier. Il s'agit donc de pousser, mais... avec une partie du corps qu'on ne connaît pas, et alors que tout le bas-ventre est devenu un enfer.

« Sages-femmes et infirmières crient à l'unisson : *Encore-encore-encore-encore-encore !* Retenant mon souffle, je pousse en m'agrippant aux poignets de la chaise. À plusieurs reprises, un étrier fout le camp et je me retrouve un pied en l'air... Je recommence à hurler après chaque contraction. Pour me calmer, Xavier m'asperge d'eau fraîche le visage, le cou et la poitrine… Au bout de plusieurs poussées incroyables, les sages-femmes me disent que tu n'es pas descendue, que ta tête est toujours au premier étage. Tout ça n'aura donc servi à rien, et la contraction revient : *Tout le monde est prêt ? Poussez-poussez-poussez-poussez !* Je pousse – Xavier me dira après que mon visage est devenu pourpre avec l'effort –, je pousse et à la fin je hurle et ce n'est toujours pas cela. Véro m'explique qu'une infirmière va appuyer très fort sur mon ventre avec son bras pour t'encourager à descendre, et que je devrai repousser son bras avec mon ventre. J'essaie de penser à toi, Elyria, de t'imaginer là-dedans. Je sais que si je n'y arrive pas tu vas commencer à souffrir. Mais je ne te sens pas. Tout ce que je sens c'est l'horreur, l'horreur qui continue, et quand vient la poussée suivante, la rétention d'air – *Allez-y, allez-y, allez-y* – cette horreur me happe, la douleur n'est même plus physique, elle est tout le réel, corps et esprit se confondent et je m'évanouis.

« Oh… ! j'aurais tant voulu trouver au cœur de cette expérience un mot, inconnu des dictionnaires mais immédiatement reconnaissable par toutes les mères… Hélas, le mot en question n'existe pas. L'accouchement est vie pure, hors langage.

« Quand je reviens à moi je ne sais pas où je suis, autour de moi des inconnus hurlent des ordres incompréhensibles : *Reprenez de l'air et repoussez! Pendant la même contraction, allez-y!* Je suis tellement désorientée que je laisse passer le moment... Mais ça y est, une nouvelle contraction arrive – *Tout le monde est prêt?* Oh, ça dure... trop longtemps. À un moment donné, Véro me fait une anesthésie locale et on pratique l'épisiotomie, mais je m'en aperçois à peine. Ça dure encore. Je perds beaucoup de sang. Il va falloir me faire une transfusion. On appuie sur mon ventre, je pousse comme si je me trouvais sous les décombres d'une mine effondrée, je m'évanouis à nouveau, à mon réveil tu n'es toujours pas là, seule la douleur est là. Pour finir, Véro renonce à fourrer sa main dans mon vagin pour palper ton crâne. Elle appelle la doctoresse.

«À partir de l'arrivée de celle-ci, tout va très vite. "Je vais vous aider, Madame." "C'est-à-dire...?" "Je vais appliquer des cuillers sur la tête de l'enfant."... Mais tu es presque là, Elyria. Je commence à croire à une fin possible. Je saigne, prends de l'air et pousse, elle tire. Tu viens, et Xavier de s'exclamer tout bas: "Elle est née, la divine enfant!"

«Il dit qu'à ce moment-là mon visage se détend complètement, s'entoure d'une auréole et se met à rayonner d'une joie indicible. On te pose – rouge, bleue, gluante – sur mon ventre, tu pousses un petit cri, juste pour qu'on sache que tu respires. Je dis: "C'est toi, ma petite Elyria?" ... et c'était toi.»

3

GROSSESSE

Les nausées de la chimio sont bien pires que celles de la grossesse ou de l'accouchement…

Reprenant le stylo, Ariane écrit à nouveau.

C'est bientôt terminé, Elyria. Je ne serai plus là, tu le sais, n'est-ce pas ? Mathieu dit qu'on n'a pas encore tout essayé, que je peux encore guérir, mais moi je n'y crois plus, les médecins non plus. C'est con : je ne serai sûrement pas là pour ton entrée au lycée à l'automne… L'an dernier au moment du diagnostic – après le frottis suspect, et l'arrivée dans ma tête de mots comme dysplasie, conisation, exérèse, mais avant qu'on comprenne que c'était déjà foutu, qu'il y avait déjà eu trop de métastases – j'ai eu un dialogue édifiant avec une des oncologues.

Elle joue la scène.

« Autrefois, vous savez, on appelait ça le cancer des putes.

— Tiens ?

— Oui. Aujourd'hui on dit juste que l'incidence est plus élevée chez les femmes à partenaires multiples, et nulle parmi les bonnes sœurs.

— Ah bon. Le col de l'utérus serait là à compter, à ausculter, c'est ça que vous voulez dire… ? Attends, ce pénis-là, est-ce le même que celui d'hier ? Non ? Je me disais bien. Alors voyons, ça fait… 18 pénis différents ce mois-ci ! Dis donc ! Je m'en vais faire proliférer quelques cellules pour fêter ça !

— Non, non, c'est une histoire de probabilités. Plus on a de partenaires, plus on risque d'en croiser un qui trimbale le papillomavirus humain.

— Ah, OK. Vous ne dites pas du tout ça pour culpabiliser les femmes délurées.

— Voyons, quelle idée ! Notre société a évolué. Si vous tenez à vous culpabiliser, essayez la cigarette : elle multiplie par quatre le risque de cancer du col.

— Ah, super. Maintenant je me sens *et* malade *et* coupable. Faudrait que je me mette à boire pour oublier. »

Elle revient à sa lettre.

… En tout cas, Elyria, tu as été une enfant désirée, je te le promets. Même si Xavier s'est éloigné quand tu étais encore petite, même si tu n'as pas le souvenir d'avoir vécu avec tes deux parents, ne va pas t'imaginer que c'est *toi,* ton arrivée, qui nous a séparés. Au contraire ! tu nous as rendus plus proches que jamais… On avait vraiment envie que tu naisses.

Autre cahier.

« Cette fois c'est même très possible, disent les médecins. Et au lieu de l'exaltation, c'est la peur que je ressens. Toutes les peurs… Peur que ça échoue, d'abord. Peur que ça réussisse, ensuite, et que je sois entraînée sur des milliers de pentes prévisibles et abhorrées : désormais je serai repérable. On me prendra résolument en charge en tant que femme enceinte. Que je le veuille ou non, Xavier deviendra mon "époux". Je passerai des heures dans des salles d'attente avec d'autres femmes enceintes, remplirai des centaines de formulaires, achèterai mes robes et soutiens-gorge dans les boutiques Future maman, réduirai ma consommation de tabac et d'alcool, sourirai bêtement et béatement aux félicitations exprimées par des connus et des inconnus…

« Peur de l'accouchement, bien sûr. Mais peur, aussi, de tout ce qui viendra après : l'organisation de mon temps par Xavier ; la constitution d'une Famille (papa-maman-bébé) ; l'achat, là encore, de tout ce qu'il faut (y a-t-il un domaine avec plus de *il faut* que la maternité ? l'armée, peut-être…) ; les gestes obligatoires, sans singularité aucune, répétés à l'infini… Que diable suis-je allée faire dans cette galère ? »

Elle lève la tête de sa lecture.

Pardon, chérie, de t'avoir traitée de galère. À ma décharge, je ne te connaissais pas encore. J'ignorais tes qualités incommensurables. Au moment où j'ai écrit ces pages, ta tête était grosse comme une tête d'épingle !

Elle reprend sa lecture.

« C'est oui. Échographie, hier. Nous avons vu à l'écran des pulsations presque imperceptibles… des ombres, ondulant vaguement comme des plantes aquatiques.

« J'ai eu envie de pleurer. Cela est en moi, cela est moi… Cela va suivre son cours et devenir une personne… Un être humain, que je regarderai dans vingt ans en me souvenant avec stupeur de cette première image, miraculeusement petite et incontestable. »

Elle repose le carnet.

Bon, pour finir, je ne vais *pas* te regarder comme ça en 2022. Mais je suis quand même baba, Lyly. Sincèrement. Ta présence me sidère !

Elle se remet à écrire.

Que voulait dire Nietzsche en écrivant : « Il faudrait vivre comme une femme enceinte » ? Qu'ont-elles su, les mères, au long des millénaires, en s'abstenant de le dire ?

Elle reprend le cahier.

«… aussi le sentiment de transgresser, par mon regard, un tabou : voir la perfection mystérieuse et animale de la vie d'avant la vie. Et l'échographie a achevé de me convaincre : il ne s'agit pas d'un retard de règles accompagné d'obésité, mais bel et bien d'autre chose. La chose la plus *autre* que j'aie jamais connue.

«Je refuse d'abandonner mes pitreries et de devenir respectable. Pour le restant de mes jours, je tiens à faire des gestes et des grimaces qui ne sont pas ceux d'une mère : héler les gens au loin avec de grands signes de la main, danser comme une démente, sauter par-dessus les bornes, courir sur les murets. Quand le nabot (comme l'appelle Xavier) se mettra à me donner des coups de poing de l'intérieur, je ferai de la boxe avec lui.»

Elle écrit.

Ton père a toujours voulu me calmer, Elyria. Il m'aimait mais il voulait me calmer, me protéger, me rassurer, m'entourer d'ouate. Une fois je lui ai dit : «Je suis la foudre jaillissant du nuage de toi !» Il n'a pas trop apprécié, je crois.

Je ne lui avais rien caché de mon passé amoureux. Enfin, *rien*, c'est beaucoup dire. *Amoureux* aussi, c'est beaucoup dire. Homme de son temps, courageux ou volontariste, il m'a acceptée avec cet encombrant bagage. Du moins le croyait-il…

Elle lève la tête.

Il a fait un drôle de rêve pendant ma grossesse, je me rappelle. Dans le rêve il venait d'être nommé professeur à l'Université. À la réception en son honneur, entouré d'une bande d'intellos conservateurs complet-veston-cravate, il était mal à l'aise. J'arrive, bien sapée et maquillée, il me prend par le bras en disant aux autres : « Je vous présente mon épouse » … et se décompose en un instant lorsque, tout en serrant la main du président, je murmure : « Vous m'excuserez, je suis assez pressée, je dois me préparer pour mon travail de call-girl. » Il a ri en me racontant ce rêve… et je me suis abstenue de le commenter.

Elle reprend sa lecture.

« Ça bouge, dans mon ventre. Un temps, je pouvais encore faire semblant de prendre ce mouvement pour les gargouillements de la digestion. Maintenant c'est impossible. C'est… *quelqu'un.* Quand des amis avec bébé viennent à la maison, la conversation tourne autour de l'allaitement, des horaires de sommeil, des premiers sourires… et j'ai envie de prendre mes jambes à mon cou ! *Je ne veux pas parler comme tout le monde !* Ça m'insupporte, la sagesse séculaire en matière de reproduction ! Xavier me reproche mon individualisme forcené. »

Elle écrit.

C'est quand je te portais que j'ai trompé ton père pour la première fois. *Nobody's perfect*, hein ? Ben, oui, elle est loin, la Vierge Marie, elle est loin. Encore qu'on ne sache pas avec qui *elle* a fricoté au juste… Y a des femmes fidèles et y a des femmes infidèles, je fais partie de la deuxième catégorie mais bon, c'est pour mieux faire ressortir la vertu de la première ! Si toutes les femmes étaient fidèles, il n'y aurait pas de quoi se vanter. Ce serait comme se vanter d'avoir deux bras. Regarde ! J'ai deux bras ! Et *na !* … Ce n'est pas que je ne crois pas à l'amour, Elyria. C'est juste que pour moi l'amour est comme Dieu, je le préfère au pluriel. Qu'il s'agisse de *gamie* ou de *théisme*, j'aime mieux *poly* que *mono*, et de loin. Affaire de goût.

Elle lève la tête.

Xavier n'était pas fidèle non plus, mais… a-t-on déjà vu lapider le mari adultère ? Non, hein ? Non. Bon.

C'est malin. Je ne sais plus où aller à partir de là.

Elle lit.

« Devenir parent nous oblige à penser à nos parents. Terminés, les pieds de nez à la famille, à la lignée. De quels prénoms, de quelles histoires Xavier et moi allons-nous encombrer notre enfant à naître ? »

Elle écrit.

Le nom *Ariane* me vient de ma grand-mère paternelle, que mon papa adulait et qui est morte peu avant ma naissance. Heureux hasard, c'était aussi le premier choix de ma mère. Maman pensait surtout à *ariadne* : la merveilleuse araignée de Louise Bourgeois. Tisserande industrieuse et méthodique, patiente et puissante, femme qui rafistole, recoud, répare, rassure... Mais en m'appelant Ariane, je crois qu'elle voulait aussi me faire comprendre que j'aurais à dévider mon propre fil, à tracer mon propre chemin dans le labyrinthe du désir des hommes.

Dilemme qui se pose à toute mère quand sa fille, comme toi en ce moment, Elyria, sort de l'enfance et entre dans le regard des hommes : *comment la mettre en garde sans lui faire peur ?* C'est peut-être impossible, au fond. Aujourd'hui je me dis que ma mère ne m'a pas rendue assez méfiante. Elle aurait mieux fait de me faire peur. Elle m'a mise en garde, certes, mais gentiment, comme toutes les nanas baba-cool de son millésime, tout juste majeures en Mai 68. Elles étaient persuadées que leur génération avait inventé la jeunesse, que le *All You Need Is Love* des Beatles allait se répandre sur toute la planète, et que tout irait pour le mieux dans le meilleur des mondes. *Les femmes vivent, les femmes jouissent, les femmes dansent, les femmes désirent, vive la contraception et l'IVG ! Notre corps nous appartient ! Youppi !*

Ce n'est pas suffisant, en fait. Je dirais même plus : ce n'est pas sérieux. Leur goût féroce de la liberté les a aveuglées. Elles avaient lu Nin, Friedan et Beauvoir… mais pas Darwin. Lis Darwin, Elyria.

Au cœur du labyrinthe vit Astérios, le Minotaure. Il n'existe pas de meilleur emblème du désir masculin. On pense tout de suite à Picasso, mais Dürrenmatt en a fait lui aussi une série de dessins émouvants. Dans l'un d'entre eux, le labyrinthe est un palais de glaces cauchemardesque, et le pauvre monstre erre dans les couloirs, épouvanté, se heurtant partout à sa propre image, se faisant peur à lui-même… Dans un autre, le Minotaure est couché sur le dos et Ariane le chevauche ; on dirait qu'elle s'apprête à l'attacher avec le fil de sa pelote pour une scène d'amour S-M…

N'étant pas vraiment férue de mythes grecs, ma mère ignorait probablement ce fait crucial : Astérios et Ariane étaient demi-frère et sœur. Oui, Elyria : *les hommes sont nos frères.* On ne peut se détacher d'eux, c'est impossible. On ne peut qu'avancer avec eux en tâtonnant, en trébuchant et en tombant. Sans chute, on ne devient pas quelqu'un d'intéressant. *Aime-toi, même à terre*: voilà peut-être mon seul conseil sérieux, ma seule sagesse. *Ne te déteste pas comme je me suis détestée.*

On oublie… on oublie… heureusement.

4

CALCULS

Parlant pour elle-même.

Pourtant je l'aimais, Xavier… dans la mesure où à vingt-cinq ans j'étais encore capable d'aimer. Tu vois, Lyly, avant de rencontrer ton père, j'étais déjà… on va dire… vieille. Déjà pas super bien dans ma peau. Il y avait ma peau, mes os, et moi je vivais en quelque sorte à l'extérieur de tout ça.

Elle prend un autre cahier, lit…

«Je vis en bonne entente avec la mort. Ce mot revient tel un battement, scandant les syllabes précipitées par lesquelles je laisse affleurer dans ma tête ce que, partout ailleurs, je tais. Jamais devant les tiers je n'ose faire vibrer cette surface qui m'entoure comme une cloche de verre, tirer d'elle des échos qu'ils trouveraient mélodramatiques. Comme je suis loin du drame, pourtant! Loin de tous ces termes aux relents romantiques: tragédie, frayeur… même mélancolie.

«Je mène un combat précis, une lutte pour ainsi dire méticuleuse: contre la matité, contre l'étouffement. Je charrie la mort dans mon corps. J'éprouve non des velléités de suicide, mais la certitude de devoir me tuer, que ce soit à petit feu ou à coups de feu. C'est là l'effet non d'un cynisme progressivement acquis, mais d'une conviction si profondément enracinée en moi que j'en ignore l'origine. Peu importe, car cette certitude est devenue un mode de vie. Je ne suis pas dans le ricanement (qui relève, lui, du cynisme), mais dans le rire destructeur. Vous pensez que ça me rive à la vie, tout ce que je fais, tout ce que je dis, toutes mes amours, tous mes amis ? Pas le moins du monde ! Je me sais condamnée, donc je me démolis.

« Oui : le leitmotiv tranquille de mon existence est l'obligation d'y renoncer. Pourquoi ? Sans pourquoi. Une évidence. Il ne s'agit pas d'un renoncement sous forme d'ascétisme religieux, ce serait trop simple. Je dois me détruire par excès autant que par privation. Trouver à chaque instant un équilibre entre les deux. Par-dessus tout, produire une règle : n'importe laquelle, puisque je suis libre. La Loi dans toute sa nudité grotesque. La Loi sans raison, ou alors surdéterminée par des raisons multiples. Un foisonnement de raisons pour nommer et justifier mon moindre geste.

« Je ne puis accepter la vie qu'à petites doses bien mesurées. C'est pourquoi je mets un soin infini à découper la nourriture, le temps, à mordre dans une demi-pomme, une demi-heure, à bien mâcher parce qu'*il faut bien mâcher*, à faire travailler les mâchoires et les méninges, à subdiviser les mets et les minutes et à les avaler consciencieusement : c'est bien, c'est parti, j'ai fait mon devoir ; la nourriture, le temps sont passés.

« *Comment supporter d'être dans le temps ?* Pour me révolter contre la passivité que m'impose le passage inexorable des minutes, j'aiguise plutôt que d'émousser la conscience que j'en ai. Je dois ruser sans arrêt pour devancer l'horloge, faire un maximum de choses ou lire un maximum de pages dans une journée – même si, à force de penser à ce que je dois faire après, je ne sais plus très bien ce que je lis. Face aux autres, je suis à la fois avide (car leurs paroles semblent surgir d'une certitude rassurante quant au caractère raisonnable du monde) et distraite (car je redoute d'entendre du déjà-dit). Les répétitions, qui vont à l'encontre de ma lutte et me ramènent brutalement au temps mort, me sont intolérables.

« *Jamais de temps mort* : les fêtes sont préalablement payées par des journées de travail exténuantes (et souvent inefficaces) ; les moments de rêverie romantique récupérés, retravaillés et recyclés en récit. Étant contrainte de vivre, je veux vivre le plus rapidement possible et en avoir fini. Faire une chose à la fois est inconcevable. La solitude aggrave cet activisme tuant, me rendant impossible (par exemple) de lire un journal sans écouter un disque, fumer une cigarette et boire une tasse de café en même temps. Ainsi ce *même temps* deviendra-t-il *quatre* temps, me donnant l'illusion d'avoir vécu et souligné et souligné et souligné ce vécu-là. Comme si, menacée d'être étouffée par le temps, il me fallait investir mon énergie à le quadriller.

« Des règles strictes gouvernent tout ce qui touche à l'entretien du corps. Oui *j'entretiens* ce corps, comme un objet plus ou moins fragile qui m'a été provisoirement confié, je le *transforme* en objet. J'ai de ses besoins un savoir quasi scientifique, l'essentiel étant de ne jamais avoir à les ressentir. Je ne lui impose pas de faire des régimes ; ma préoccupation est plutôt de manger de telle sorte qu'il ressemble le plus possible à un squelette.

« En effet, si j'ai horreur de prendre du poids, ce n'est pas en raison des « critères de la beauté féminine imposés par le cinéma et la publicité », mais à cause de *l'excès de vie* dont la chair en trop serait le signe. D'un autre côté, il ne faut pas que le corps souffre de la faim, car cela aussi le rendrait trop présent. Je « dois » manger, donc... sans jamais savoir si j'ai faim. Et je mange de façon arbitraire, selon des chiffres et des formes, des symétries intimes, et non selon ce qu'on aurait pu me faire reconnaître comme mon appétit.

«Je valorise tout spécialement *l'égalisation*, qui consiste à manger juste ce qui déborde d'un plat ou le rend asymétrique ; à boire jusqu'à ce que le vin atteigne exactement le niveau du bord supérieur de l'étiquette, ou son bord inférieur ; à calculer chaque bouchée selon une arithmétique complexe – non à cause des calories, mais pour injecter de la raison dans un acte qui, sans conteste possible, me maintient en vie.

« Quant au sommeil, c'est la perte de temps par excellence. Je suis debout à l'aube même quand je n'ai rien à faire de la journée : la grasse matinée ou la sieste l'après-midi seraient la preuve flagrante de mon état cadavérique. Interdit de me laisser aller au repos, surtout quand je suis seule. Du coup, je suis insomniaque et fatiguée. Tout effort physique est redoutable car il risque de faire trop insister (exister) le corps. Je vise une sorte d'*éveil degré zéro*, un état de vigilance pure – telle la lampe qui, placée sur un tombeau, luit non pour éclairer mais pour signifier *ne pas s'éteindre*.

«Le jour je suis crispée en permanence, et cette crispation me tient lieu d'énergie vitale. Si mon corps est toujours un peu inconfortable, je saurai qu'il n'a pas lâché, pas encore disparu. Épaules haussées, jambes croisées, sourcils froncés : en plusieurs points du corps, je peux déployer le minimum d'effort nécessaire à la fabrication d'un minimum de douleur, comme lorsqu'on se pince pour vérifier qu'on est réveillé. Cette somatisation est le contraire de l'hystérie : jamais de grosses migraines, ni de douleurs lancinantes à l'abdomen, jamais de paralysies ou autres appels au secours. Les appels au secours sont dérisoires.

« Et, cela va presque de soi, l'idée de l'enfantement m'écœure. Elle est déjà suffisamment affolante, cette vie qui m'habite sans que j'aie pu la choisir et qui avance malgré moi en transformant mon visage et mes pensées ; la transmettre à autrui relèverait du monstrueux.

« Je ne veux surtout pas être perçue comme une victime, alors je "vis", "jouis", "danse" et "désire", toujours avec ces mots entre guillemets, avec tous mes mots et gestes entre guillemets, ou alors au conditionnel (tout comme, petite, je me racontais mon histoire à la troisième personne). Étrangère à la spontanéité, toujours consciente de jouer, consciente sans répit, et tentée à chaque instant par les gestes de violence qui mettraient fin à cette comédie.

« Habitée par ce mal de vivre très particulier, presque abstrait, et de toute façon indépendant des contingences politiques et personnelles, je songe effectivement à me tuer. Décidé sans tristesse, le suicide serait l'aboutissement naturel de la lassitude et de l'indifférence qui caractérisent mes choix depuis toujours. Non un geste de colère spectaculaire dirigé contre mes proches ou contre moi-même, mais la plus simple traduction du peu de cas que je fais de la vie. Non l'acte par lequel l'homme prouve qu'il est libre, mais le paradigme de tous les non-actes que moi, femme, j'ai pu commettre...

«Enfin la voix se tait. Je sors dans la rue, offre mon corps au regard des autres... et découvre, avec un étonnement indéfiniment renouvelé, l'autre versant du corps-objet. Cette minceur cultivée pour rester près de l'os, près du nerf, est esthétique. Elle suscite sifflements, remarques et compliments. Ces yeux, rendus myopes par mon goût excessif de la lecture et cernés en raison de mes insomnies, sont beaux. «Ah! les beaux yeux!» «Elle en a de beaux yeux!» Mes gestes, mon allure, mes hésitations – tout ce qui traduit mon incertitude quant à mon droit ou mon désir de vivre, peuvent être perçus comme séduisants. Mon silence même, où s'étreignent la peur de l'impuissance et le mépris de la puissance, est interprété comme une coquetterie.

«Ainsi, peu à peu, je comprends les jeux de projection qui engendrent la figure de la *femme fatale*. Sa vraie victime n'est pas l'homme qu'elle séduit, c'est elle-même. C'est son propre corps. »

Temps. Elle ouvre un autre carnet.

« Ah ! si seulement mes larmes pouvaient couler avec la même fluidité et la même indifférence que le sperme du jeune homme qui m'a suivie en silence à travers la cour. L'ayant entendu monter les marches à ma suite, je me dis tout de suite qu'il ne faut pas être parano, que d'autres habitants de l'immeuble ont le droit de rentrer à minuit trente exactement, et que s'il y a un vrai pépin la gentille dame du quatrième me viendra en aide. Je décide que si je n'ai toujours pas entendu une clef tourner dans une serrure une fois arrivée au quatrième, je cesserai de gravir les marches. Les pas qui me suivent ne font pas un bruit naturel. Sur le palier du troisième, m'enjoignant à nouveau de ne pas être ridicule, je me retourne et aperçois une veste en cuir et un blue-jean… Le visage est jeune, le regard clair. Je décide de faire semblant de m'être arrêtée pour reprendre mon souffle, et de laisser passer le jeune homme. Puis ses mains sont sur sa braguette et la chair est à l'air, de sa gorge sortent des gémissements étranges, il vient se frotter contre mon manteau en me suppliant à voix basse de le sucer. Lâchant un grognement écœuré, je monte d'encore un étage, me retournant juste à temps pour le voir se répandre. Je reste là, à fixer l'éclaboussure sur les marches à mes pieds, tandis que ses pas dégringolent l'escalier et que la porte d'en bas se referme. Ce n'est que lorsque je reprends la montée que mon corps se met, tout seul et de la tête aux pieds, à trembler. »

5

MOBILES FLOUS

On remonte dans le temps.

«Elle franchit le fleuve. Le grand escalier du musée est orné de décorations hideuses: tout lui semble difforme, obscène, clinquant. Marchant un peu au hasard, elle pénètre dans une grande salle où sont exposés des mobiles et passe un moment à errer parmi ces objets qui, à perte de vue, se balancent, sautillent et flottent. Au bout d'une rampe sont exposés des mobiles plus petits, électriques, que les visiteurs peuvent activer. Un des groupes figure deux hommes en fil de fer, assis face à face. Le courant électrique leur envoie une décharge à travers le corps. Ils dansent convulsivement jusqu'à ce que le doigt curieux se retire.

«Dans le coin le plus reculé de la pièce elle découvre une installation plus petite encore, sorte de boîte aménagée en lit qu'encadre un rideau de velours rouge. Un petit lustre éclaire la scène. Elle approche et se penche. À première vue, les fils de fer en mouvement semblent former une sorte d'animal qui se tord sur lui-même. Puis elle distingue deux paires de bras et de jambes : ce sont de micro-humains qui se tortillent. Avec une violence d'une lenteur dérangeante, le premier lève mécaniquement le bras et l'abaisse sur le corps de l'autre, qui, plusieurs secondes plus tard, se cabre dans un long soubresaut de douleur. La machine est autorégulée ; les personnages poursuivront cette lutte automatique jusqu'à la fermeture du musée. Ce n'est qu'au bout d'un moment qu'elle remarque, à l'entrejambe du personnage du dessus, un minuscule bout de fil de fer qui entre et sort d'un trou à l'entrejambe de l'autre. »

Temps. Autre carnet.

« À quel moment commence l'horreur ? Au coup de fil reçu par la standardiste – « Très bien, Monsieur, vous viendrez à quatre heures un quart, c'est entendu » – et noté dans le livre de rendez-vous ? À l'entrée de l'homme dans la salle de réception feutrée ? À la confrontation des corps en uniforme, le sien à lui un costume gris d'homme d'affaires, le sien à elle une tunique blanche d'infirmière ? Au geste discret par lequel il la choisit ? À la remise préalable de son billet de cent au directeur des lieux ?

« Il la précède dans la grande pièce ténébreuse. Ayant terminé sa cigarette, elle regarde sa main droite écraser le mégot dans le cendrier tenu par sa main gauche. Les suivre, ces mains. Savoir de quoi elles sont capables. Elles maîtrisent aveuglément le clavier d'un ordinateur, exécutent à la perfection les gestes requis pour abaisser une pâte à tarte, se glissent avec une compréhension innée le long du corps de son amant. Maintenant elles s'appuyent contre une porte, qui cède sans grincer.

« L'homme s'est dépouillé de sa carapace. Tel un patient dans l'attente du chirurgien, il est allongé nu sur la table d'opération, un lit étroit et surélevé, et ne la regarde pas. Dans la pièce flottent des parfums légers et exotiques : encens, huiles et poudres. De ces dernières, les mains s'enduisent lentement. Elles s'appliquent ensuite aux épaules musclées, creusent le gras du dos pour sentir les côtes, pétrissent la chair autour de la taille.

« Le corps se met à parler. Elle ne l'écoute pas. Avec les odeurs flottent dans l'air des mots incolores, amorphes. Ses mains continuent de bouger et elle les regarde. Les doigts s'étirent, se crispent, s'enfoncent dans la peau, laissant des marques blanches qui rougissent un instant plus tard. Quand l'homme se retourne lourdement, les mains attendent que son mouvement se termine. Le visage ne répond pas à son sourire à la fois gêné et avide d'affection ; la mâchoire demeure rigide ; seules les mains ont un devoir de mobilité.

« À quel moment commence l'horreur ? Au massage minutieux de la poitrine ? des genoux ? des cuisses ? Au pénis dressé que les mains recouvrent de talc rosâtre ? À l'évanouissement de la parole de l'homme, peu à peu remplacée par des halètements ? Au geste tendre exécuté sans tendresse. Au mouvement amoureux qui manque d'amour. Au rituel dont les symboles ont été vidés de leur sens. Les mains se détachent d'elle, elle ne les possède plus, elles ont été vendues cinquante francs chaque, dix francs le doigt.

« Ces doigts pourront-ils encore lui appartenir, traduire ses désirs, caresser le poil d'un chat, porter une pomme jusqu'à sa bouche ? Abruties par l'indifférence, ces mains esclaves ne deviendront-elles pas traîtresses, à jamais infidèles ? La peur lui serre la gorge. Et l'homme, qui a les yeux fermés : quelles images fait-il miroiter sur l'écran de son cerveau tandis que ses yeux à elle sont braqués sur ce réel ahurissant : ses mains qui lui échappent, se font machines, agissent par automatisme, suscitent un plaisir qu'elles ignorent, feignent la frénésie, meurent dans la mimique même de la vie.

« Le giclement a eu lieu. Les mains se tendent, prennent une serviette, essuyent le ventre, plus machinalement qu'une mère les fesses de son bébé. Se lavent ensuite, au savon, sous un robinet. Derrière la femme, les paroles reprennent mais elle est silence désormais, son corps un bloc de silence enveloppé de peau.

« Plus tard, les mains accepteront un chèque en guise de *dédommagement.* À quel dieu ont-elles été sacrifiées ? »

6

GIFLES

Autre carnet.

«… Et depuis longtemps déjà elle était amoureuse de lui. Une seule fois, alors que, debout dans l'embrasure de la porte, ils se disaient au revoir les yeux dans les yeux, la grande main brune de l'homme avait frôlé le visage de la femme-fillette avec une douceur inouïe, comme si l'on se fût servi d'un marteau pour balayer une plume. Elle avait continué de couler son regard vers lui, en lui, en répétant tout bas : "Je t'aime, permets que je t'aime à jamais, aime-moi je t'en supplie, il n'y a que toi au monde." Et, retirant doucement sa grande main du visage jeune et lisse, l'homme s'était éclipsé.

«Elle est allongée sur le dos et il la chevauche, se dressant au-dessus d'elle dans le noir. Tous deux sont nus. Il la frappe. Qui a voulu que cela se produise ? Il croit qu'elle veut qu'il lui fasse mal. Il se sert d'elle, une novice, pour s'initier à ce qui est possible. Elle a donné son accord. Il la frappe, soigneusement mais de toutes ses forces. Légères comme le vent, ses grandes mains se déplacent sur son visage et s'abattent soudain sur sa joue quand elle s'y attend le moins. Il évite de la frapper aux oreilles. Il l'encourage à pleurer. Elle avait cru qu'il lui incombait d'être stoïque et silencieuse. Que son amant l'autorise à pleurer provoque en elle un effondrement. Chaque gifle déclenche un cri et dans les intervalles, alors que reprennent les caresses suaves, elle sanglote de façon incontrôlable. Lui, murmure à voix basse le prénom de la jeune femme sans cesser de la frapper et elle ne comprend pas pourquoi. Elle compte les coups : sept sur la joue droite, huit sur la gauche ; maintenant neuf à gauche. Les intervalles sont de longueur variable, allant de cinq secondes à deux minutes. La douleur des gifles est à la fois aiguë (la peau lui brûle, lui pique) et sourde (on dirait une porte qui, dans sa tête, s'abat de tout son long). Le monde valse. Fermant les yeux elle voit des feux d'artifice. Les rouvrant il est là qui se dresse au-dessus d'elle, le visage dans l'ombre, les mains se déplaçant sur ses joues. À chaque mouvement inattendu de ses mains elle sursaute violemment. Dans sa bouche se mélangent le goût métallique du sang et celui, salé, des larmes. À force de se tordre en tous sens, elle a les cheveux emmêlés, noués. Il ne s'arrêtera donc jamais ? Il la tue, la défigure, elle ne sera plus jamais belle. Elle crie encore et encore.

« Enfin il termine et s'effondre sur elle, en larmes… »

7

BISTROT

Ariane reprend sa lettre à sa fille.

Environ une semaine avant d'apprendre mon diagnostic, j'ai fait une conférence à l'université. Un éloge du polythéisme. La mythologie grecque contre les Testaments, tant l'Ancien que le Nouveau. Les Grecs, eux, au moins, savaient que l'être humain relève à la fois du divin et de l'animal ; dans leurs mythes, les dieux copulent avec les humains, et les humains avec les bêtes. Leur progéniture est bâtarde, bizarre, monstrueuse, et n'a qu'à se débrouiller avec ça. Comme nous tous, comme nous tous. Mais oui : centaures, minotaures, sphinges, griffons, sirènes, êtres à la fois mortels et immortels, tout-puissants et débiles.

Funeste, désastreux, le retournement qu'opère l'Église catholique, décrétant l'homme seul sur la Terre, radicalement coupé tant des bêtes que des dieux. Là où les dieux grecs se jalousaient, se trahissaient allègrement, se jetaient avec concupiscence sur le beau corps des jeunes, se vantaient et s'inquiétaient de perdre leur pouvoir… chez les cathos, las ! de Dieu il n'y en a qu'un ! Pire, Il est parfait ! Pire, l'homme est fait à Son image au lieu de l'inverse ! Résultat des courses : aberrations en série. Prêtres chastes, mères vierges, maris fidèles : chimères mille fois plus invraisemblables que les sphinges ou les centaures. Quelle zizanie on aura semée avec ça. Quelle *zizinie*, plutôt. Dès lors, le désir ne pouvait passer qu'en catimini, dans la honte et le secret, la noirceur du tabou, sur le corps des gamins et des putes.

J'ai blablaté une heure et des poussières sur tous ces thèmes, et puis, après les applaudissements et les questions-réponses de rigueur, mes collègues m'ont invitée à dîner dans un bistrot voisin. Je sentais que mes propos avaient remué l'auditoire, j'étais heureuse, détendue et... morte de faim.

Parmi les convives à notre table se trouvait un vieux beau à chapeau feutre, l'ami d'un des invitants. Clopant et picolant, vraie loque loquace, bohème et décatie, il m'a agressée aussitôt : « Alors, contente, madame la professeure ? Il y avait du monde ? Votre conférence a été appréciée ? » Je l'ai fixé en souriant, mais sans répondre. « Vous êtes amoureuse ? » me demande-t-il alors. « Oui. » « De qui ? » « D'un avocat marseillais. » « Ah ! personne n'est parfait. » Je hausse les épaules.

Voilà longtemps, Elyria, que je ne me laisse plus démonter par des machos minables. Je ne me dis même pas, tout bas : *c'est un con fini*; je ne veux juste pas m'en occuper. Alors, lui tournant le dos, j'entame tranquillement une conversation avec ma voisine de droite. Une heure s'écoule. La tablée mange, boit, discute, s'amuse... et pendant tout ce temps, je sens dans mon dos le regard colérique et endolori de l'homme au chapeau feutre.

« Comme ça, me lance à un moment donné la directrice du Département d'Études du Genre, vous préférez une religion où les dieux violent les humains à une religion qui proscrit radicalement le viol ! »

« Non, ai-je rétorqué, je préfère une société lucide à une société hypocrite. Les abus sexuels existent partout, même dans les religions les plus puritaines : les mennonites par exemple... ou Daech. Qu'une femme porte la minijupe ou le voile, elle a peu de chances de s'y soustraire. » Ah ! Elyria, j'avoue que je me suis emportée, ce soir-là au bistrot. Il faisait chaud, j'avais pas mal bu et les mots me glissaient sur la langue. « Oui, je suis persuadée que chaque fillette ou presque fait l'expérience déroutante, déstabilisante, d'un désir qui non seulement ne tient pas compte du sien, mais ne s'adresse même pas à elle personnellement. Et cette expérience laisse des traces. Septuagénaire, Annie Ernaux revient dans *Mémoire de fille* sur l'été de ses 17 ans, où elle a reçu un giclement de sperme en pleine bouche sans bien comprendre ce qui se passait, mais en essayant de croire que le gicleur l'aimait… Cette scène a été décisive dans sa vie de femme et d'auteure. Les hommes baisent et s'endorment, baisent et passent à autre chose, baisent et partent à la chasse, à la guerre, à la Bourse… Les femmes cherchent à comprendre ce qui leur arrive. »

Ravis ou scandalisés, les autres m'écoutaient… Mais soudain le vieux beau m'a interpellée : « Vous qui savez tant de choses… vous pouvez m'aider à retrouver l'homme qui a violé ma mère quand elle était enceinte de sept mois ? »

Tout s'est arrêté net. Me tournant vers lui, je lui ai demandé à voix basse de nous en dire plus. Sa mère lui avait raconté la chose quelques années avant seulement, alors qu'elle se mourait d'un cancer. Au moment du viol c'était lui, cet homme-là, devenu éthylique, méchant, désespéré, qui était lové au cœur de son labyrinthe… Jamais il ne s'en remettrait.

C'est douleur, Elyria ! Si nous pouvions, nous les femmes, dénoncer les hommes… les traîner en justice… les enfermer… les punir… mais nous ne le pouvons pas, car ce sont nos fils.

Sais-tu de qui le Minotaure était le fils ?

8

LA PLAINTE D'ASTÉRIOS

Changement d'ambiance…

Monstre, je suis né de la bêtise humaine. De la jalousie et de la faiblesse humaines.

Pasiphaé ma mère était la fille du Soleil et de la nymphe Crète. Elle avait donné à son époux, le roi Minos, beaucoup d'enfants… dont Ariane et Phèdre. Or, il faut du temps pour fabriquer un enfant. On ne peut pas « donner à un homme beaucoup d'enfants » et être encore jeune, c'est mathématiquement infaisable.

Minos se mit à tromper Pasiphaé… non seulement avec d'autres femmes, mais aussi avec de très jeunes hommes. Après s'être longuement ennuyée, Pasiphaé à son tour alla voir ailleurs.

Et elle fit fort, je dois dire. Elle fit très fort. Mue par le désir de vengeance ou le désir tout court, elle s'enticha d'un magnifique taureau blanc, offert à son mari par Poséidon, dieu de la Terre et des mers.

Mais… comment faire pour attirer à elle l'objet de ses… *génisse*ments? Pasiphaé alla voir Dédale, le surdoué. Dédale était non seulement artiste et artisan mais architecte, ingénieur et forgeron ; surtout, c'était un exilé – banni jadis d'Athènes pour avoir tué son propre neveu. Les exilés cherchent à plaire à tout le monde, c'est leur plus grand défaut.

Pasiphaé fit donc part de son dilemme à Dédale. Celui-ci l'écouta attentivement, se gratta la tête... et eut une idée. Avec du bois, il fabriqua une vache creuse qu'il monta sur quatre roues et recouvrit d'une vraie peau de génisse. Ensuite il n'y avait plus qu'à aider la femme en chaleur à se glisser à l'intérieur... et à attendre. Pasiphaé, nous informe pudiquement le mythe, obtint satisfaction. Voilà l'accouplement contre-nature dont moi, Astérios, je suis issu.

Je grandis dans le ventre de Pasiphaé. Par bonheur, la durée de grossesse d'une vache est la même que celle d'une femme. (Vous imaginez si ma mère s'était éprise d'un éléphant ? Vingt-deux mois au lieu de neuf !) Pourquoi naquis-je avec une tête de bête et un corps d'homme, au lieu de l'inverse, tel le centaure ou le satyre ? L'histoire ne le dit pas.

Dès ma naissance mon beau-père Minos me prit en grippe : mon existence lui rappelait en permanence la honte d'avoir été trompé par son épouse. À Dédale, qui avait facilité les desseins de Pasiphaé, Minos donna l'occasion de se racheter : il devait construire un palais en forme de labyrinthe inextricable, avec des milliers de couloirs savamment agencés, et m'y m'enfermer à vie. Derechef, Dédale obtempéra. Après avoir favorisé ma conception, l'exilé m'enferma dans un lieu d'où je ne verrais jamais le soleil, et où je n'aurais jamais de compagnie.

Seul ! Jour après jour, année après année, je rugis et versai des larmes de vitriol. Fou de rage, j'exigeai que me fût livrée chaque année la fine fleur de la jeunesse athénienne : sept jeunes hommes et sept jeunes femmes. Quand ils arrivaient, je me jetais sur eux et les dévorais. (C'est mon côté humain qui les tuait, les démembrait, mâchait leur chair et buvait leur sang ; les taureaux, bien entendu, sont herbivores...)

Pourquoi ne pas m'avoir assassiné tout de suite ? Alors que je n'avais pas demandé à naître et ne m'étais rendu coupable d'aucun crime, pourquoi m'avoir condamné à des décennies d'emprisonnement ?

Et toi, maman, tu n'as même pas cherché à me sortir de là. Tu veux ton plaisir, tu le prends, et, quand il porte des fruits, tu les balances à la poubelle ? C'est atroce. C'est insupportable.

Et le pire était encore à venir.

Un temps, pour que Dédale n'oublie jamais qui était le plus fort, Minos le fit enfermer dans son propre Labyrinthe avec son jeune fils Icare.

D'où lui est venu ce fils? se demande-t-on peut-être. Oh! il l'avait fabriqué à même le corps d'une jeune esclave crétoise du nom de Naucraté… C'est normal, n'est-ce pas. Chercher le plaisir, arracher des caresses, planter des graines dans la féconde terre féminine est à la portée de tout le monde… sauf moi.

C'était un sale gosse, l'Icare en question. Presque aussi doué que son père pour les inventions, mais dans le genre tordu, vachard. Les journées étant longues au Labyrinthe, il inventait mille vexations pour le prisonnier que j'étais. Souvent, debout sur l'un des remparts du palais, il s'amusait à me pisser dessus.

Époque duraille, décidément.

Et quand Dédale l'astucieux a fabriqué des ailes pour ce fils et pour lui-même, qui est venu ouvrir la porte pour leur permettre de s'envoler? Qui les a libérés? Vous l'avez deviné: ma mère. Subtilisant la clef à son mari, Pasiphaé a fait nuitamment le voyage jusqu'au terrifiant palais où habitait son fils. Elle savait que j'étais attaché à un pieu dans la pièce centrale, et elle n'est même pas venue me caresser la tête.

Mais pendant ce temps grandissait aussi ma demi-sœur Ariane, jeune fille vive et curieuse, excellente danseuse et acrobate. Ayant entendu parler de l'affreuse bête qui croupissait au centre du palais de Cnossos, elle désira en savoir plus.

C'est encore Dédale, l'infiniment serviable qui, ayant recouvré la liberté, lui montra comment trouver son chemin dans le Labyrinthe à l'aide d'une pelote de laine. Alors un jour je reçus la visite d'Ariane et... elle n'était pas comme les autres. Elle m'écoutait. Elle me permit même de poser la tête sur sa poitrine et de l'inonder de mes larmes. Du coup, je pus lui raconter mon histoire.

Épouvantée par l'égoïsme et la cruauté de notre mère, elle décida de tout faire pour en atténuer les effets.

En se servant de la pelote, elle revint me voir à de nombreuses reprises. Toujours dans le secret de la nuit, elle chanta et dansa pour moi, me berça et me consola. Elle devint la joie de mon existence. De jour comme de nuit, je vivais avec la pensée d'Ariane. Quand elle n'était pas là, elle était encore là.

Mais le destin s'acharnait contre moi. Un jour débarqua d'Athènes un prince en mal de gloire, qui, pour assurer la pérennité de son nom, jura de mettre fin au sacrifice annuel des quatorze jeunes. Pour ce faire, il devait me tuer.

Le prince se nommait Thésée. Dès qu'Ariane posa les yeux sur lui, ce fut le coup de foudre. La catastrophe. Par amour pour Thésée – qui, lui, ne l'aimait pas, ne la méritait pas, ne promettait de l'épouser que pour parvenir à ses fins –, Ariane me trahit.

Elle donna au prince fourbe la pelote de laine qui lui permettrait de me retrouver, de m'égorger, et de ressortir sain et sauf du Labyrinthe pour cueillir ses lauriers de héros.

Je hurle à l'injustice.

Les humains sont inconstants, égoïstes et indifférents. Ils m'ont fait naître et mourir pour rien.

Je hurle à l'injustice.

9

ARIANE CHANGE D'AVIS

Ariane prend un dernier carnet, minuscule, genre journal intime de gamine. Après l'avoir feuilleté un moment, elle le repose.

Ceci, Elyria, tu ne dois pas le voir. Non, je refuse. Je ne le ferai pas, c'est tout.

Pardon, Lyly. Ce que j'aurais voulu te transmettre est finalement intransmissible. Il en va ainsi depuis la nuit des temps. Il en ira toujours ainsi.

Les hommes agissent, provoquent des tragédies et en écrivent. Les femmes hésitent et réfléchissent… Elles ont moins tendance à se jeter dans l'action « à corps perdu », car elles ne peuvent pas se permettre de perdre le corps.

Elles détiennent un savoir qui ne saurait s'enseigner.

Les autres entrent en elles, éclosent en elles, vivent sous leur peau.

Oh ! Elyria ! Quand ils nous font l'amour, leurs terreurs deviennent notre chair, leurs délices aussi. Nous sommes trop mêlées à eux. Même quand la baise se passe merveilleusement bien, touche à l'extase, c'est déroutant, déconcertant. On ne s'enfonce pas dans le sommeil tout de suite après, à la manière des hommes. Un autre est entré en nous… nous a tambourinées de l'intérieur… nous a remuées de fond en comble… C'est secouant, vivifiant, chamboulant. Oui ils viennent au-dedans de nous, l'homme et l'enfant. Ils nous habitent. L'homme passe en coup de vent, l'enfant s'incruste.

Constamment, nous devons faire attention. À ne pas concevoir de bébé, si nous n'en voulons pas. Ou, le bébé conçu, à le protéger. La pilule ne change rien à l'affaire. Nous devons quand même faire attention. Nous laver, avant, après… Car nous sommes poreuses, ouvertes sur le monde, donc vulnérables à ses dangers : viol, infection, agression, grossesse… cystite, mycose, sida… En nous mijotent mille et une substances… et soudain : Pieu d'homme. Doigt. Langue. Pied de bébé. Tête ! *ouf!* « Ce qui dans un animal était sang et obscurité, / a grandi en nous pour devenir âme et continue de crier / comme une âme… » Cela restera et cela doit rester indicible. Une mère ne saurait le dire à sa fille, ni une femme à une autre femme… Chacune doit le découvrir pour elle-même.

Ce que je te laisse, Elyria ? « Rien d'autre que cette félicité… »

Juillet 2016

DE LA MÊME AUTEURE

ROMANS, RÉCITS, NOUVELLES

Les variations Goldberg, romance, Seuil, 1981 ; Babel n° 101.
Histoire d'Omaya, Seuil, 1985; Babel n° 338.
Trois fois septembre, Seuil, 1989 ; Babel n° 388.
Cantique des plaines, Actes Sud / Leméac, 1993; Babel n° 142; « Les Inépuisables », 2013.
La virevolte, Actes Sud / Leméac, 1994; Babel n° 212.
Instruments des ténèbres, Actes Sud / Leméac, 1996 ; Babel n° 304.
L'empreinte de l'ange, Actes Sud / Leméac, 1998; Babel n° 431.
Prodige, Actes Sud / Leméac, 1999; Babel n° 515.
Limbes / Limbo, Actes Sud / Leméac, 2000.
Dolce agonia, Actes Sud / Leméac, 2001 ; Babel n° 548.
Une adoration, Actes Sud / Leméac, 2003; Babel n° 650.
Lignes de faille, Actes Sud / Leméac, 2006; Babel n° 841.
Infrarouge, Actes Sud / Leméac, 2010; Babel n° 1112.
Danse noire, Actes Sud / Leméac, 2013; Babel n° 1316.
Bad Girl. Classes de littérature, Actes Sud / Leméac, 2014.
Le club des miracles relatifs, Actes Sud / Leméac, 2016.
Sensations fortes, Actes Sud / Leméac, « Essences », 2017.
Lèvres de pierre. Nouvelles classes de littérature, Actes Sud / Leméac, 2018.

LIVRES POUR JEUNE PUBLIC

Véra veut la vérité (avec Léa), École des loisirs, 1992.
Dora demande des détails (avec Léa), École des loisirs, 1993; réédité en un volume avec le précédent, 2013.
Les souliers d'or, Gallimard, « Page blanche », 1998.
Ultraviolet, Thierry Magnier, 2011 ; repris dans une édition avec CD, 2013.
Plus de saisons !, Thierry Magnier, 2014.

ESSAIS

Jouer au papa et à l'amant, Ramsay, 1979.
Dire et interdire. Éléments de jurologie, Payot, 1980; Petite bibliothèque Payot, 2002.
Mosaïque de la pornographie, Denoël, 1982; Payot, 2004.

À l'amour comme à la guerre. Correspondance (en collaboration avec Samuel Kinser), Seuil, 1984.

Lettres parisiennes. Autopsie de l'exil (en collaboration avec Leïla Sebbar), Bernard Barrault, 1986; J'ai lu, 1999.

Journal de la création, Seuil, 1990; Babel n° 470.

Tombeau de Romain Gary, Actes Sud / Leméac, 1995; Babel n° 363.

Désirs et réalités. Textes choisis 1978-1994, Leméac / Actes Sud, 1996; Babel n° 498.

Nord perdu suivi de *Douze France*, Actes Sud / Leméac, 1999; Babel n° 637.

Âmes et corps. Textes choisis 1981-2003, Leméac / Actes Sud, 2004; Babel n° 975.

Professeurs de désespoir, Leméac / Actes Sud, 2004; Babel n° 715.

Passions d'Annie Leclerc, Actes Sud / Leméac, 2007.

L'espèce fabulatrice, Actes Sud / Leméac, 2008; Babel n° 1009.

Reflets dans un œil d'homme, Actes Sud / Leméac, 2012; Babel n° 1200.

Carnets de l'incarnation. Textes choisis 2002-2015, Leméac / Actes Sud, 2016.

Anima laïque. À la recherche d'une spiritualité laïque (livre-CD, avec Quentin Sirjacq), Actes Sud, 2017.

Naissance d'une jungle, L'Aube, 2017.

Virilités vrillées, Alterlivres, 2019.

THÉÂTRE

Angela et Marina (en collaboration avec Valérie Grail), Actes Sud-Papiers / Leméac, 2002.

Une adoration (adaptation théâtrale de Lorraine Pintal), Leméac, 2006.

Mascarade (avec Sacha), Actes Sud Junior, 2008.

Jocaste reine, Actes Sud / Leméac, 2009.

Klatch avant le ciel, Actes Sud-Papiers / Leméac, 2011.

LIVRES EN COLLABORATION AVEC DES ARTISTES

Tu es mon amour depuis tant d'années (avec des dessins de Rachid Koraïchi), Thierry Magnier, 2001.

Visages de l'aube (avec des photographies de Valérie Winckler), Actes Sud / Leméac, 2001.

Le chant du bocage (en collaboration avec Tzvetan Todorov, avec des photographies de Jean-Jacques Cournut), Actes Sud, 2005.

Les braconniers d'histoires (avec des dessins de Chloé Poizat), Thierry Magnier, 2007.

Lisières (avec des photographies de Mihai Mangiulea), Biro Éditeur, 2008.

Poser nue (avec des sanguines de Guy Oberson), Biro & Cohen Éditeurs, 2011.

Démons quotidiens (avec des dessins de Ralph Petty), L'Iconoclaste / Leméac, 2011.

Edmund Alleyn ou le détachement (avec des lavis d'Edmund Alleyn), Leméac / Simon Blais, 2011.

Terrestres (avec des reproductions d'œuvres de Guy Oberson), Actes Sud / Leméac, 2014.

La fille poilue (avec des aquarelles et des dessins de Guy Oberson), Les éditions du Chemin de fer, 2016.

Poser nue (avec des aquarelles et des dessins de Guy Oberson), Les éditions du Chemin de fer, 2017.

Érosongs (avec des photographies de Guy Oberson), Les éditions du Chemin de fer, 2018.

In Deo (avec des aquarelles et dessins de Guy Oberson), Les éditions du chemin de fer, 2019.

TRADUCTIONS

Jane Lazarre, *Le nœud maternel*, L'Aube, 1994; repris sous le titre *Misères et splendeur de la maternité*, 2001.

Eva Figes, *Spectres*, Actes Sud / Leméac, 1996.

Ethel Gorham, *My tailor is rich*, Actes Sud, 1998.

Göran Tunström, *Un prosateur à New York*, Actes Sud / Leméac, 2000.

Göran Tunström, *Chants de jalousie* (traduit en collaboration avec Lena Grumbach), Actes Sud / Leméac, 2007.

Karen Mulhallen, *Code orange*, poèmes, édition bilingue, Black Moss, 2015.

Chris Hedges, *La guerre est une force qui nous octroie du sens*, Actes Sud, « Questions de société », 2016.

Achevé d'imprimer en août 2019
sur les presses de
Marquis imprimeur

Éd. 01 / Imp. 01
Dépôt légal : 3e trimestre 2019

Imprimé au Canada